D0295655

Direction éditoriale : Jannie Brisseau
Responsable éditoriale : Agnès Besson
Direction artistique : Bernard Girodroux, Anne-Catherine Souletie
Maquette : Gulliver Studio
Couverture : Ségolène Even

Conforme à la loi n° 49.956 du 16 juillet 1949
sur les publications destinées à la jeunesse.
N° d'éditeur : 10102220 - XIII - CSBTS 200 - 02/03
Dépôt légal : février 2003
Impression et reliure : Pollina s.a., 85400 Luçon
N° d'impression : 88870
ISBN : 2-09-210626-0
Imprimé en France

Histoires, comptines, chansons et Cie

Petites Chansons pour tous les jours

Illustrations de Sylvie Albert, Christel Desmoinaux, Jochen Gerner, Martin Jarrie, Muriel Kerba, Jean-François Martin, Martin Matje, Christophe Merlin, Andrée Prigent et Danièle Schulthess.

Portées musicales de Sophie Vazeille

NATHAN

Un éléphant

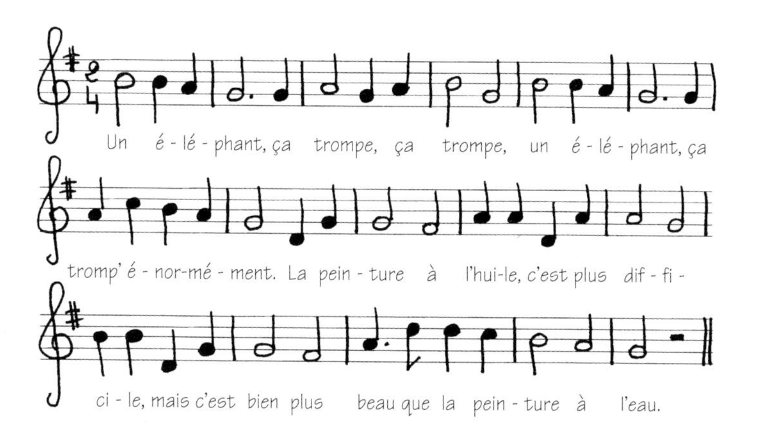
Un é - lé - phant, ça trompe, ça trompe, un é - lé - phant, ça
tromp' é - nor-mé - ment. La pein - ture à l'hui-le, c'est plus dif - fi -
ci - le, mais c'est bien plus beau que la pein - ture à l'eau.

Un éléphant, ça trompe, ça trompe,
Un éléphant, ça trompe énormément.

Refrain

La peinture à l'huile,
C'est plus difficile,
Mais c'est bien plus beau
Que la peinture à l'eau.

Deux éléphants...

(On augmente d'un à chaque couplet)

Pomme de reinette et pomme d'api

Pomme de rei-nette et pomme d'a - pi, Ta - pis ta - pis rou - ge,
pomme de rei-nette et pomme d'a - pi, Ta - pis ta - pis gris.

Pomme de reinette et pomme d'api,
Tapis tapis rouge,
Pomme de reinette et pomme d'api,
Tapis tapis gris.

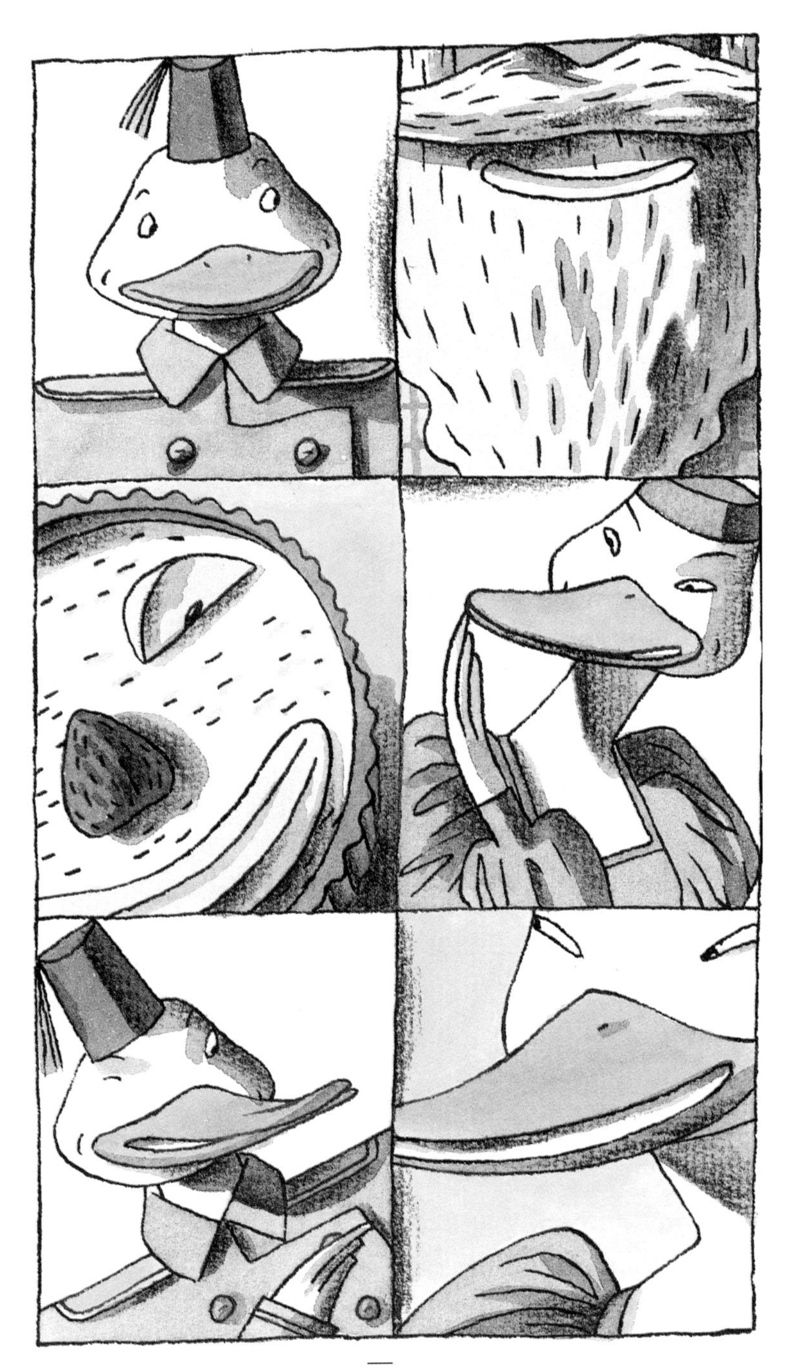

Un canard

Un ca - nard di-sait à sa bar-be : « Ris, bar - be, ris, barbe.» Un ca-
nard disait à sa bar - be : « Ris, barb' » et la bar-ba - rie !

Car la cane disait à sa tarte :

« Ris, tarte, ris, tarte. »

Car la cane disait à sa tarte :

« Ris, tarte » et la Tartarie !

Le canard disait à sa cane :

« Ris, cane, ris, cane. »

Le canard disait à sa cane :

« Ris, cane » et la canari !

Nous n'irons plus au bois

Nous n'i-rons plus au bois les lau-riers sont cou - pés. La belle que voilà i - ra les ra - mas - ser. Entrez dans la dan-se voy-ez com' on
dan - se sau-tez dan-sez embrassez qui vous voudrez !

Refrain

Entrez dans la danse,
Voyez comme on danse,
Sautez, dansez,
Embrassez qui vous voudrez !

La belle que voilà
La laiss'rons-nous danser ?
Et les lauriers du bois
Les laiss'rons-nous faner ? ***(refrain)***

Non chacun à son tour
Ira les ramasser.
Si la cigale y dort
Ne faut pas la blesser. ***(refrain)***

Le chant du rossignol
Viendra la réveiller
Et aussi la fauvette
Avec son doux gosier. ***(refrain)***

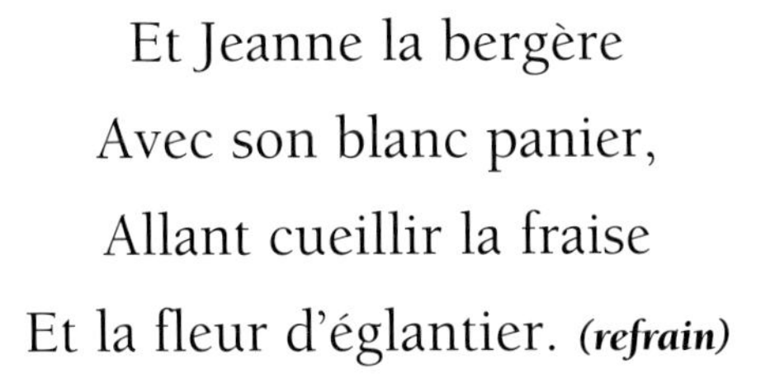

Et Jeanne la bergère
Avec son blanc panier,
Allant cueillir la fraise
Et la fleur d'églantier. ***(refrain)***

Cigale, ma cigale,
Allons, il faut chanter
Car les lauriers du bois
Sont déjà repoussés. ***(refrain)***

Meunier, tu dors

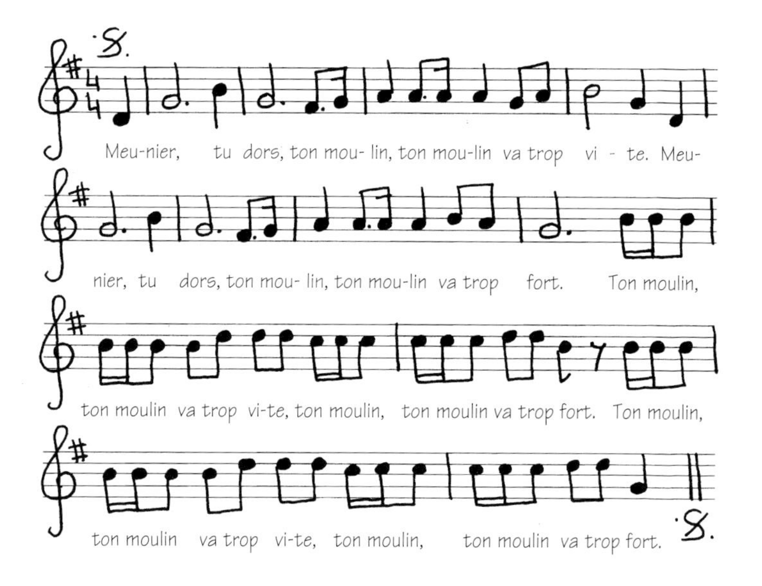

Meu-nier, tu dors, ton mou- lin, ton mou-lin va trop vi - te. Meu-
nier, tu dors, ton mou- lin, ton mou-lin va trop fort. Ton moulin,
ton moulin va trop vi-te, ton moulin, ton moulin va trop fort. Ton moulin,
ton moulin va trop vi-te, ton moulin, ton moulin va trop fort.

Meunier, tu dors,
Ton moulin, ton moulin va trop vite,
Meunier, tu dors,
Ton moulin, ton moulin va trop fort.

Ton moulin, ton moulin va trop vite,
Ton moulin, ton moulin va trop fort.
Ton moulin, ton moulin va trop vite,
Ton moulin, ton moulin va trop fort.

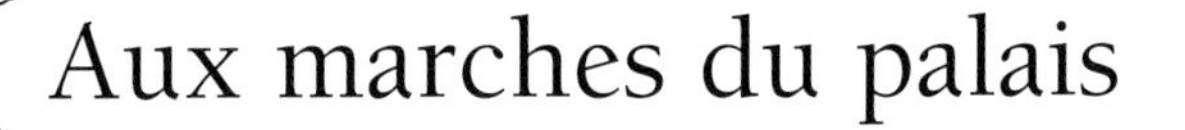

Aux marches du palais

Aux mar-ches du pa - lais, aux mar-ches du pa - lais, y'a
u - ne bel - le fil - le, lon la, y'a u - ne bel - le fil- le !

Elle a tant d'amoureux ***(bis)***
Qu'ell' ne sait lequel prendre, lon la,
Qu'ell' ne sait lequel prendre !

C'est un p'tit cordonnier ***(bis)***
Qu'a z'eu la préférence...

C'est en la l'y chaussant ***(bis)***
Qu'il lui fit sa demande...

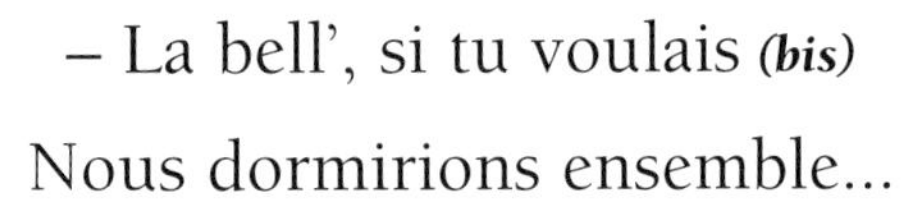

– La bell', si tu voulais ***(bis)***
Nous dormirions ensemble...

Dans un grand lit carré ***(bis)***
Couvert de taies blanches...

Aux quatre coins du lit ***(bis)***
Un bouquet de pervenches...

Au beau mitan du lit ***(bis)***
La rivière est profonde...

Tous les chevaux du roi ***(bis)***
Pourraient y boire ensemble...

Nous y pourrions dormir ***(bis)***
Jusqu'à la fin du monde...

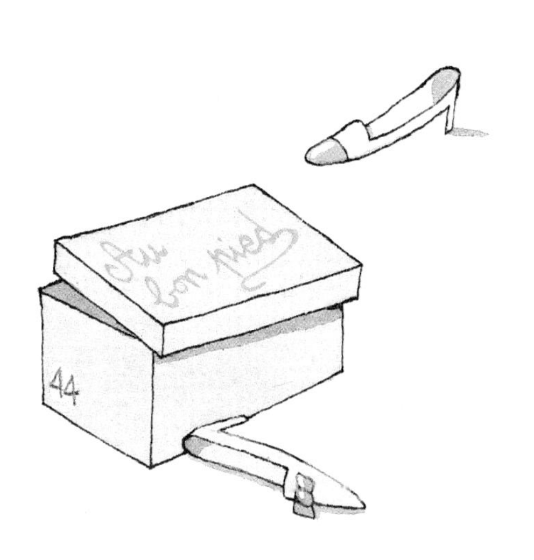
Au bon pied
44

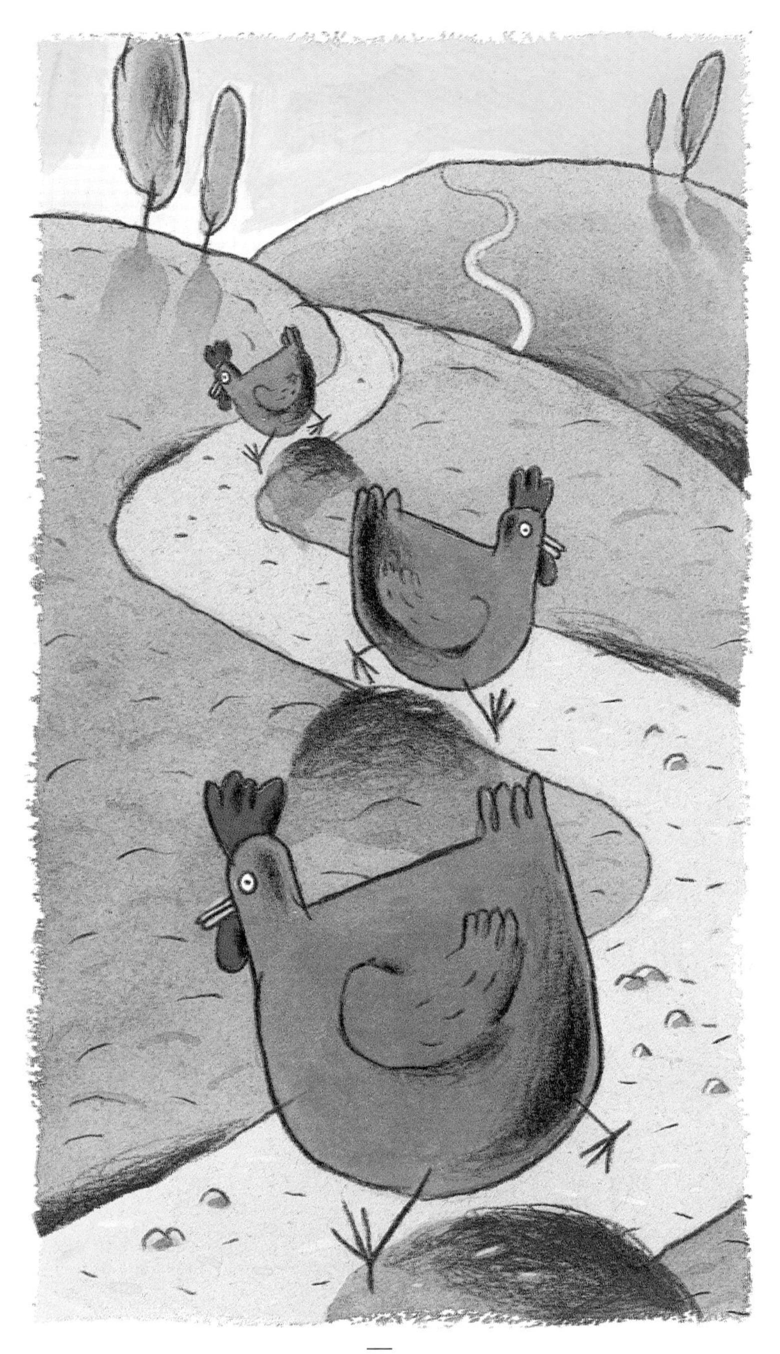

Trois poules

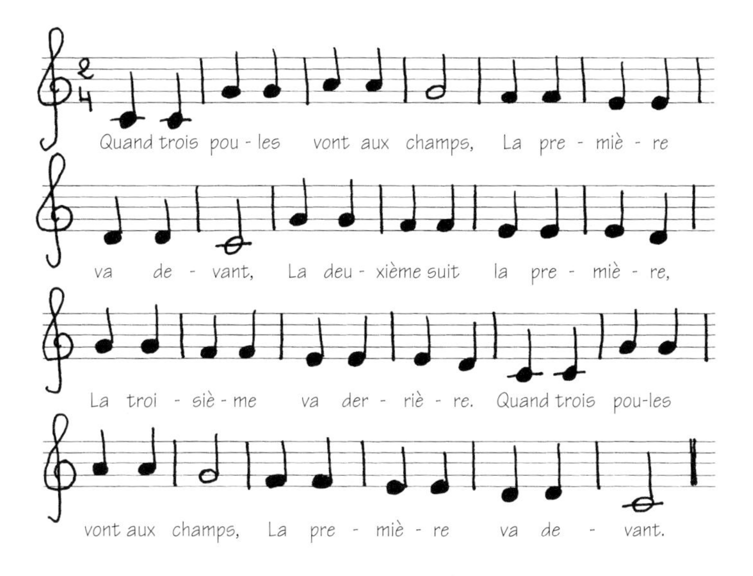

Quand trois pou - les vont aux champs, La pre - miè - re
va de - vant, La deu - xième suit la pre - miè - re,
La troi - siè - me va der - riè - re. Quand trois pou-les
vont aux champs, La pre - miè - re va de - vant.

Quand trois poules vont aux champs,
La première va devant,
La deuxième suit la première,
La troisième va derrière.
Quand trois poules vont aux champs,
La première va devant.

Savez-vous planter les choux ?

Sa-vez - vous plan-ter les choux à la mo - de, à la
mo-de. Sa-vez - vous plan-ter les choux à la mo - de de chez nous.

Refrain

Savez-vous planter les choux
À la mode, à la mode.
Savez-vous planter les choux
À la mode de chez nous.

On les plante avec le doigt
À la mode, à la mode.
On les plante avec le doigt
À la mode de chez nous. ***(refrain)***

On les plante avec le coude... ***(refrain)***
On les plante avec le nez... ***(refrain)***

Les enfants peuvent inventer d'autres couplets.

Fais dodo, Colas, mon p'tit frère

Fais do - do, Co - las, mon p'tit frè - re, fais do-
FIN
do, t'au - ras du lo - lo. Ma - man est en haut qui
fait du gâ - teau, pa - pa est en bas qui fait du cho-co - lat.

Refrain

Fais dodo,

Colas, mon p'tit frère,

Fais dodo,

T'auras du lolo.

Maman est en haut

Qui fait du gâteau,

Papa est en bas

Qui fait du chocolat. ***(refrain)***

On fait la bouillie
Pour l'enfant qui crie ;
Et tant qu'il criera,
Il n'en aura pas. ***(refrain)***

Gentil coquelicot

J'ai descen - du dans mon jar - din, j'ai descen - du dans mon jar-
din, pour y cueil - lir du ro - ma - rin, gen - til coq'-li-
cot mes - dames, gen - til coq' - li - cot nou - veau.

Refrain

Gentil coquelicot mesdames,
Gentil coquelicot nouveau.

Je n'avais pas cueilli trois brins ***(bis)***
Qu'un rossignol vint sur ma main. ***(refrain)***

Il me dit trois mots en latin ***(bis)***
Que les hommes ne valent rien. ***(refrain)***

Des dames il ne me dit rien ***(bis)***
Des demoiselles beaucoup de bien. ***(refrain)***

O Tempora ! O Mores ! ...

Bateau, ciseau

Ba-teau, ci - seau, la ri - viè - re, la ri - viè-re, ba - teau,
ci - seau, la ri - vièr' au bord de l'eau. La ri - vière a dé-bor-dé
dans l'jar-din d'mon-sieur l'cu-ré. Qu'est-ce qu'est la marraine ? C'est une hi - ron-
delle. Qu'est-ce qu'est le par - rain? C'est un gros la - pin.

Bateau, ciseau,

La rivière, la rivière,

Bateau, ciseau,

La rivière au bord de l'eau.

La rivière a débordé

Dans le jardin de monsieur le curé.

Qu'est-ce qu'est la marraine ?

C'est une hirondelle.

Qu'est-ce qu'est le parrain ?

C'est un gros lapin.

Ah ! les crocodiles

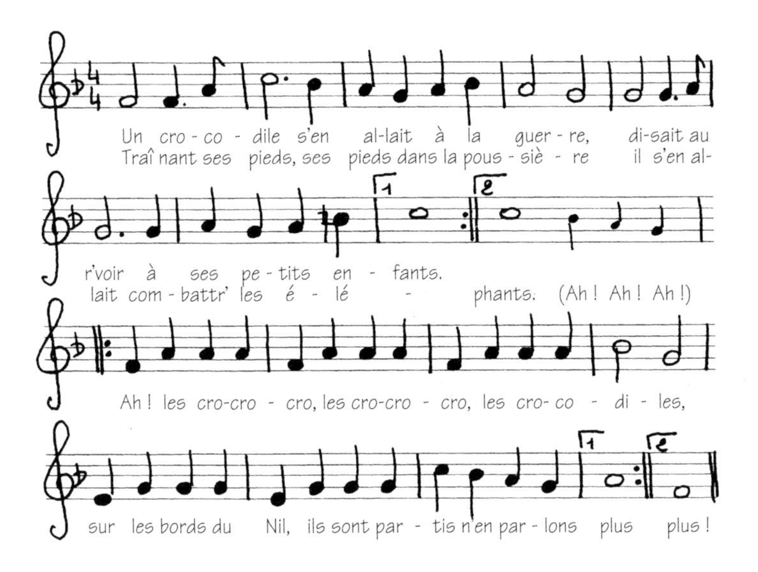
Un cro - co - dile s'en al-lait à la guer - re, di-sait au
Traî nant ses pieds, ses pieds dans la pous - siè - re il s'en al-
r'voir à ses pe - tits en - fants.
lait com - battr' les é - lé - phants. (Ah ! Ah ! Ah !)
Ah ! les cro-cro - cro, les cro-cro - cro, les cro- co - di - les,
sur les bords du Nil, ils sont par - tis n'en par - lons plus plus !
1
2

Un crocodile s'en allait à la guerre

Disait au r'voir à ses petits enfants.

Traînant ses pieds, ses pieds dans la poussière,

Il s'en allait combattr' les éléphants.

(Ah ! Ah ! Ah !)

Ah ! les cro-cro-cro, les cro-cro-cro,

Les crocodiles,

Sur les bords du Nil ils sont partis

N'en parlons plus. ***(reprise)***

Trois jeunes tambours

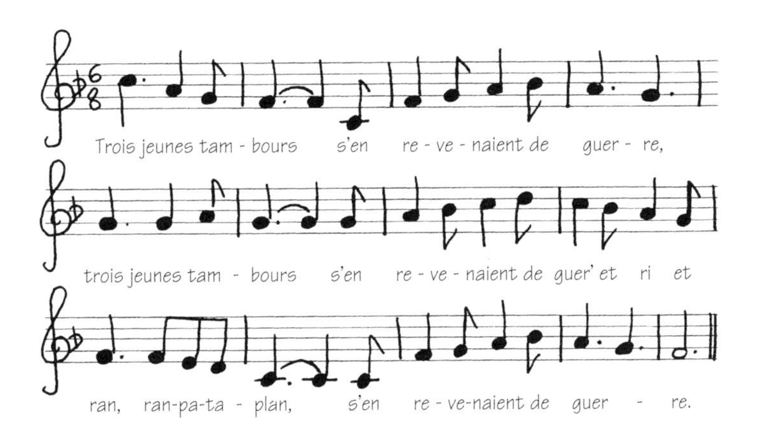
Trois jeunes tam - bours s'en re - ve - naient de guer - re,
trois jeunes tam - bours s'en re - ve - naient de guer' et ri et
ran, ran-pa-ta - plan, s'en re - ve-naient de guer - re.

Le plus jeune a dans sa bouche une rose. ***(bis)***

La fille du roi était à sa fenêtre. ***(bis)***

Joli tambour, donnez-moi votre rose. ***(bis)***

Fille du roi, donnez-moi votre cœur. ***(bis)***

Joli tambour, demandez à mon père. *(bis)*

Sire le roi, donnez-moi votre fille. *(bis)*

Joli tambour, tu n'es pas assez riche. *(bis)*

J'ai trois vaisseaux, dessus la mer jolie. *(bis)*

L'un chargé d'or, l'autre de pierreries. *(bis)*

Et le troisième pour promener ma mie. *(bis)*

Joli tambour, je te donne ma fille. *(bis)*

Sire le roi, je vous en remercie. *(bis)*

Dans mon pays, y'en a de plus jolies. *(bis)*

Ainsi font, font, font

FIN
Ainsi font, font, font les pe - ti - tes ma-rion - net-tes, ainsi
font, font, font trois p'tits tours et puis s'en vont. Les mains aux côtés, sau-tez, sautez, ma - rion - net - tes, les mains aux côtés, ma - rion - net - tes, com - men - cez.

Ainsi font, font, font
Les petites marionnettes,
Ainsi font, font, font
Trois p'tits tours et puis s'en vont.

Les mains aux côtés,
Sautez, sautez, marionnettes,
Les mains aux côtés,
Marionnettes, commencez.

Un petit cochon

Un pe - tit co - chon pendu au pla - fond.
Ti rez - lui le nez, il donn' ra du lait. Ti rez- lui la
- queue, il pon dra des œufs. Com-bien en vou - lez - vous ?

Un petit cochon
Pendu au plafond.
Tirez-lui le nez,
Il donn'ra du lait.
Tirez-lui la queue,
Il pondra des œufs.
Combien en voulez-vous ?

Jean de la Lune

Par u-ne tiè-de nuit de prin-temps, il y a bien de ce - la cent ans
que sous un brin de per - sil, sans bruit, tout me-nu na - quit: Jean de la
Lu - ne, Jean de la Lu - ne.

Il était gros comme un champignon
Frêle, délicat, petit et mignon
Et jaune et vert comme un perroquet
Avec bon caquet :
Jean de la Lune, Jean de la Lune.

Pour canne, il avait un cure-dent,
Clignait de l'œil, marchait en boitant,
Et demeurait en toute saison
Dans un potiron.
Jean de la Lune, Jean de la Lune.

Quand il mourut, chacun le pleura

Dans son potiron on l'enterra

Et sur sa tombe l'on écrivit

Sur la croix : ci-gît

Jean de la Lune, Jean de la Lune.

Ah ! vous dirai-je, maman

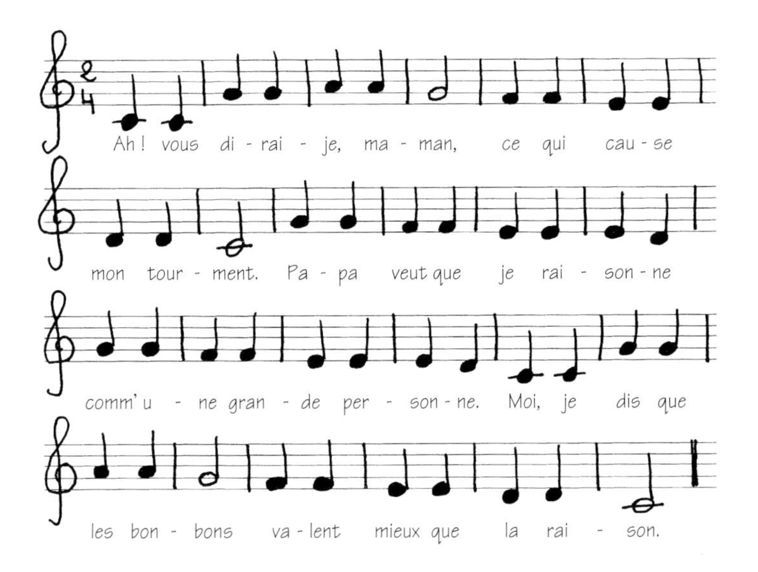

Ah ! vous di - rai - je, ma - man, ce qui cau - se
mon tour - ment. Pa - pa veut que je rai - son - ne
comm' u - ne gran - de per - son - ne. Moi, je dis que
les bon - bons va - lent mieux que la rai - son.

Ah ! vous dirai-je, maman,
Ce qui cause mon tourment.
Papa veut que je raisonne
Comme une grande personne,
Moi, je dis que les bonbons
Valent mieux que la raison.

À la claire fontaine

À la clai - re fon - tai - ne, m'en al - lant
pro - me - ner, j'ai trou - vé l'eau si bel - le
que je m'y suis bai - gnée. Il y a long-
temps que je t'ai - me, ja - mais je ne t'ou - blie - rai.

Refrain

Il y a longtemps que je t'aime,
Jamais je ne t'oublierai.

Sous les feuilles d'un chêne
Je me suis fait sécher ;
Sur la plus haute branche
Un rossignol chantait. ***(refrain)***

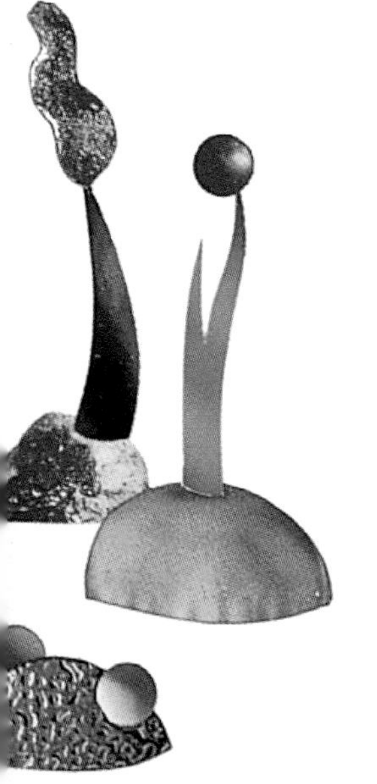

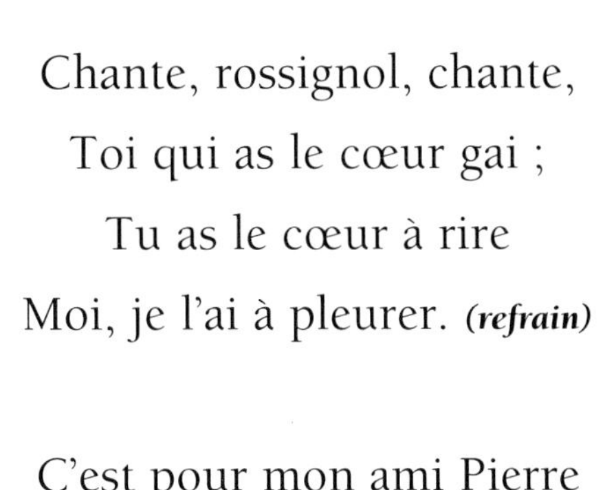

Chante, rossignol, chante,
Toi qui as le cœur gai ;
Tu as le cœur à rire
Moi, je l'ai à pleurer. ***(refrain)***

C'est pour mon ami Pierre
Qui ne veut plus m'aimer,
Pour un bouton de rose
Que lui ai refusé. ***(refrain)***

Je voudrais que la rose
Fût encore au rosier,
Et que mon ami Pierre
Fût encore à m'aimer. ***(refrain)***

Dansons la capucine

Dan-sons la capu - ci - ne, y'a plus de pain chez nous !
Y'en a chez la voi - si - ne, mais ce n'est pas pour nous.

Dansons la capucine,
Y'a plus de vin chez nous !
Y'en a chez la voisine,
Mais ce n'est pas pour nous,
You !

Dansons la capucine,
Y'a du plaisir chez nous !
On pleure chez la voisine,
On rit toujours chez nous,
You !

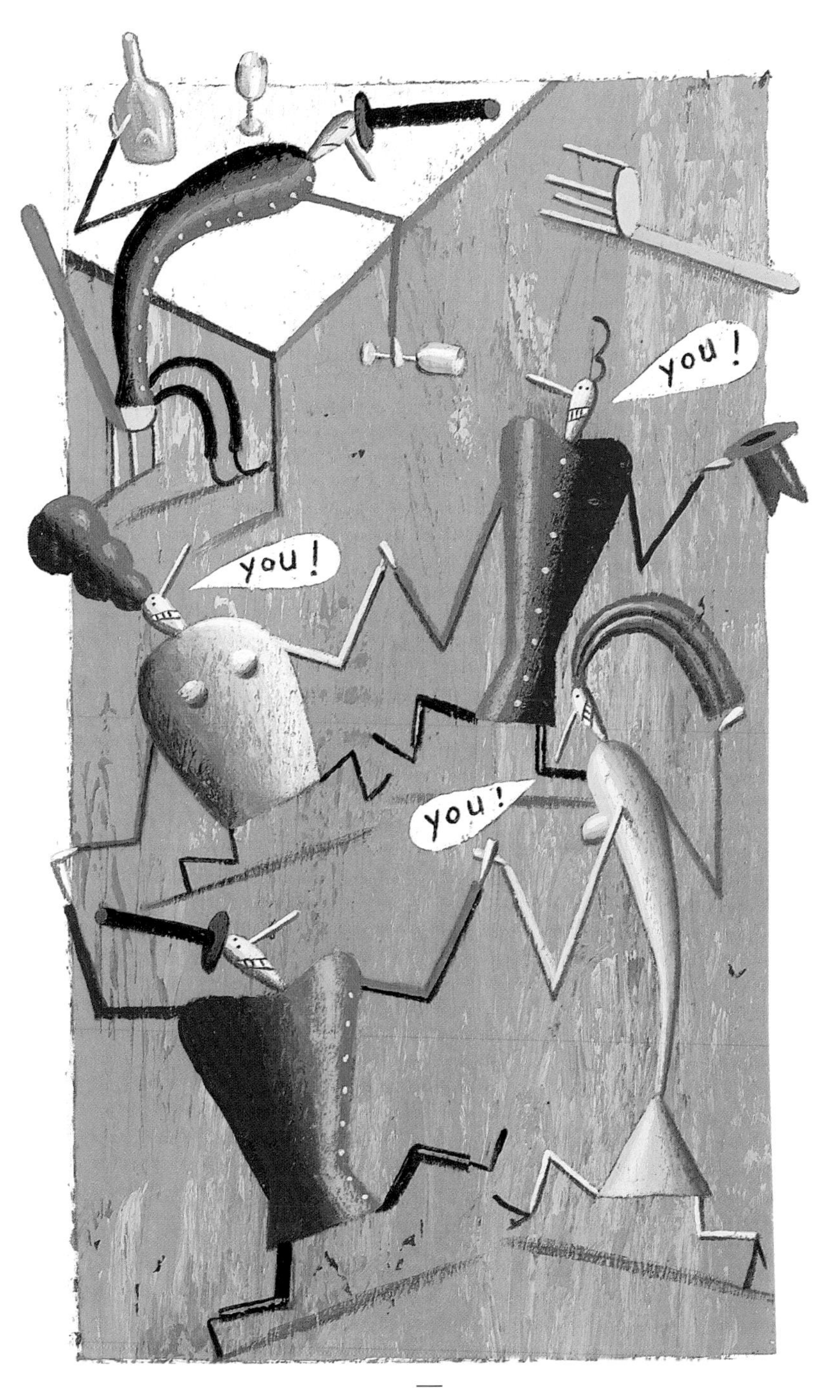
you!
you!
you!

La bonne aventure ô gué

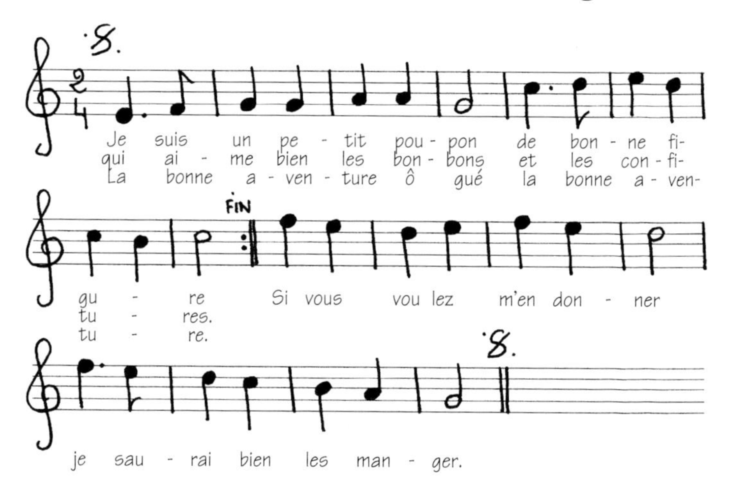
FIN
Je suis un pe - tit pou - pon de bon - ne fi-
qui ai - me bien les bon - bons et les con - fi-
La bonne a - ven - ture ô gué la bonne a - ven-
gu - re Si vous vou lez m'en don - ner
tu - res.
tu - re.
je sau - rai bien les man - ger.

Lorsque les petits garçons
Sont gentils et sages,
On leur donne des bonbons,
De belles images,
Mais quand ils se font gronder
C'est le fouet qu'il faut donner.
La triste aventure ô gué,
La triste aventure.

Je serai sage et bien bon
Pour plaire à ma mère,
Je saurai bien ma leçon
Pour plaire à mon père.
Je veux bien les contenter
Et s'ils veulent m'embrasser,
La bonne aventure ô gué,
La bonne aventure.

Polichinelle

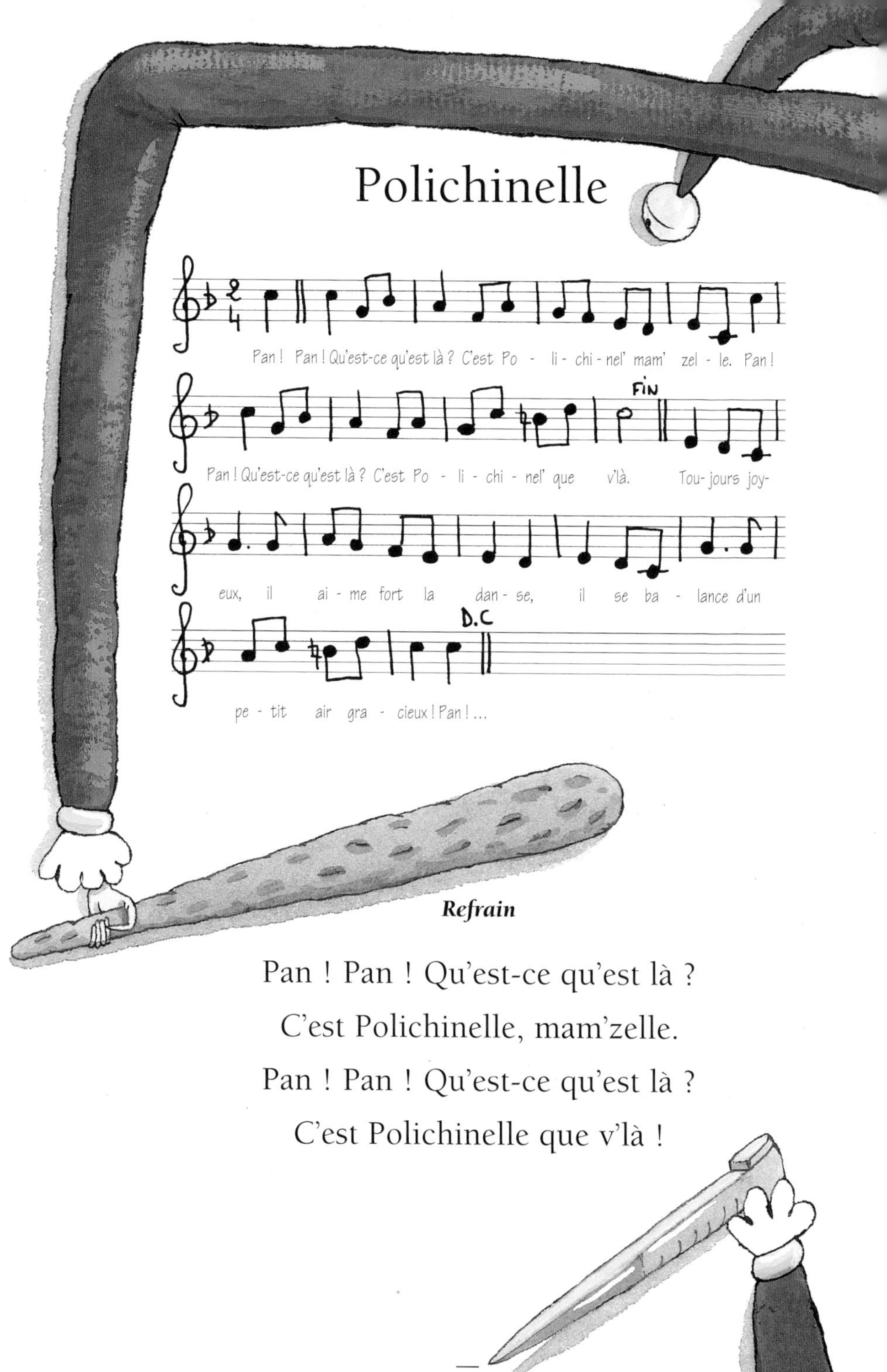

Pan ! Pan ! Qu'est-ce qu'est là ? C'est Po - li - chi - nel' mam' zel - le. Pan !
FIN
Pan ! Qu'est-ce qu'est là ? C'est Po - li - chi - nel' que v'là. Tou- jours joy-
eux, il ai - me fort la dan - se, il se ba - lance d'un
D.C
pe - tit air gra - cieux ! Pan ! ...

Refrain

Pan ! Pan ! Qu'est-ce qu'est là ?
C'est Polichinelle, mam'zelle.
Pan ! Pan ! Qu'est-ce qu'est là ?
C'est Polichinelle que v'là !

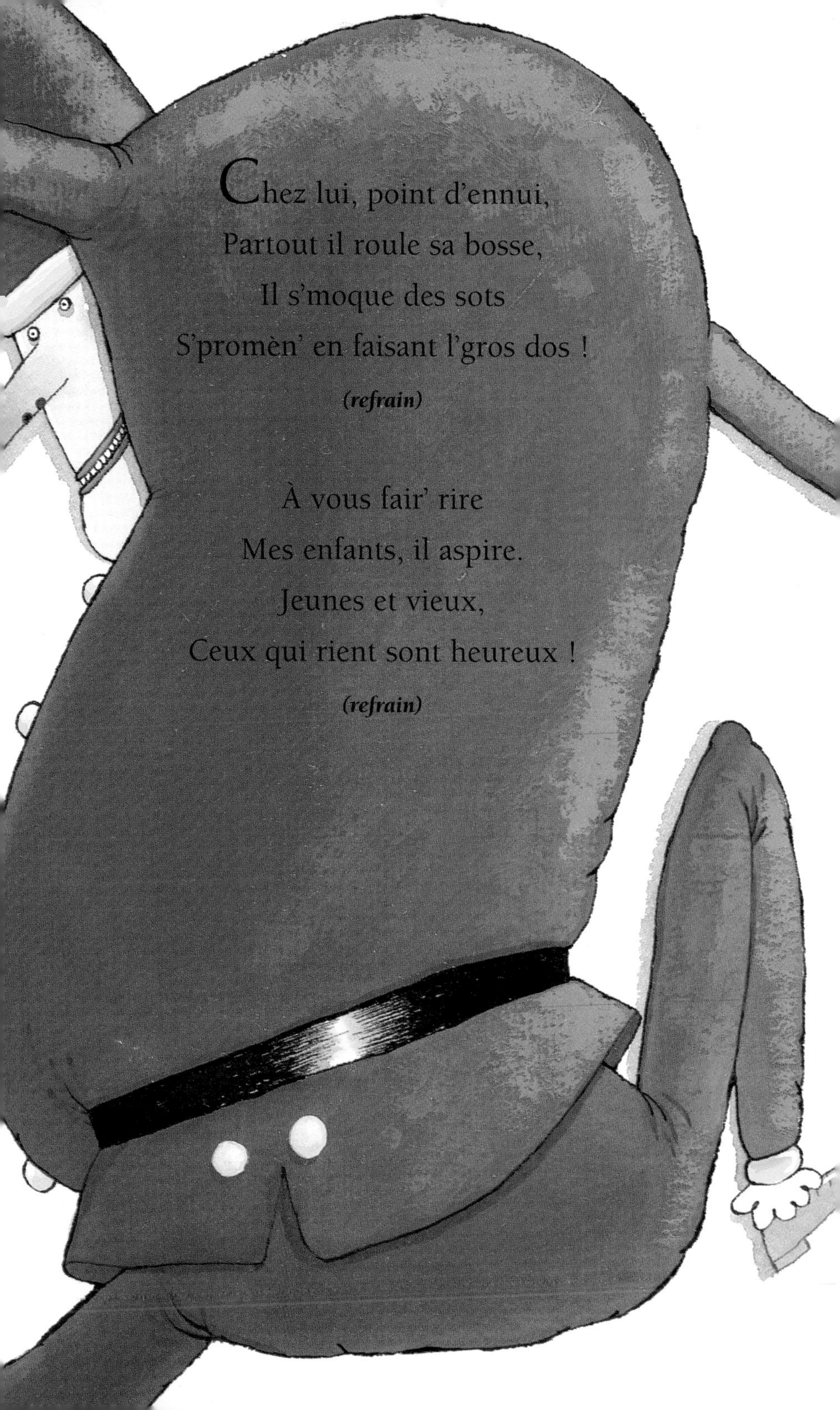

Chez lui, point d'ennui,
Partout il roule sa bosse,
Il s'moque des sots
S'promèn' en faisant l'gros dos !

(refrain)

À vous fair' rire
Mes enfants, il aspire.
Jeunes et vieux,
Ceux qui rient sont heureux !

(refrain)

Il était un petit navire

Il é-tait un pe - tit na - vi - re, il é - tait un pe - tit na-
vi - re, qui n'avait ja ja jamais na-vi-gué, qui n'avait ja ja jamais
na - vi - gué. O - hé ! O - hé !

Il entreprit un long voyage ***(bis)***
Sur la Mer Mé, Mé, Méditerranée. ***(bis)***
Ohé ! Ohé !

Au bout de cinq à six semaines ***(bis)***
Les vivres vin-vin-vinrent à manquer. ***(bis)***
Ohé ! Ohé !

On tira z'à la courte-paille ***(bis)***
Pour savoir qui-qui-qui serait mangé. ***(bis)***
Ohé ! Ohé !

Le sort tomba sur le plus jeune ***(bis)***
Bien qu'il ne fût-fût-fût pas très épais ! ***(bis)***
Ohé ! Ohé !

Au même instant, un grand miracle ***(bis)***
Pour l'enfant fut-fut-fut réalisé. ***(bis)***
Ohé ! Ohé !

Des p'tits poissons dans le navire ***(bis)***
Sautèrent par-par-par milliers. ***(bis)***
Ohé ! Ohé !

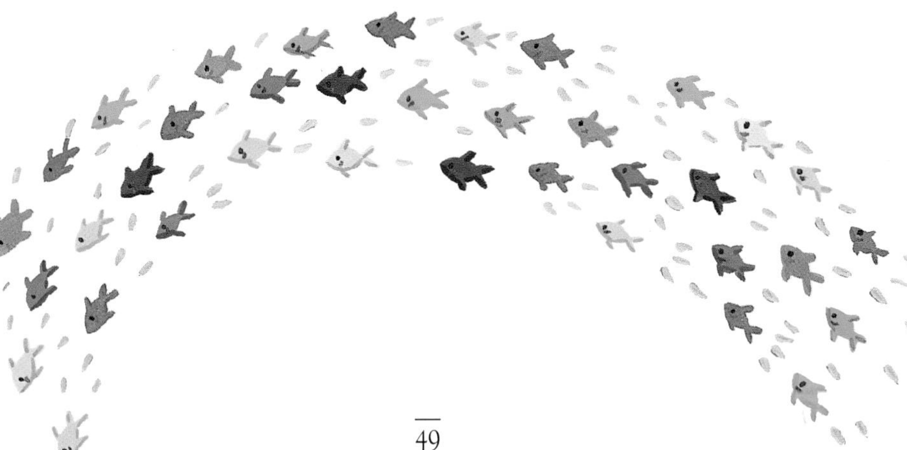

C'est demain dimanche

C'est demain di - man - che, la fête à ma tan - te
qui ba - laie sa cham - bre a - vec sa rob' blan-che. Elle trouv'une o-
ran - ge, l'é plu-ch'et la man-ge, Oh ! la gross' gour-mande !

C'est demain dimanche,
La fête à ma tante
Qui balaie sa chambre
Avec sa robe blanche.
Elle trouve une orange,
L'épluche et la mange,
Oh ! la grosse gourmande !

Il était un petit homme, pirouette

Il é - tait un pe - tit hom-me, pi - rouet-te ca ca-
houè - te, il é - tait un pe - tit hom-me qui a - vait
une drôle de mai- son, qui a-vait une drôl' de mai - son.

La maison est en carton,
Pirouette, cacahouète,
La maison est en carton,
Les escaliers sont en papier. ***(bis)***

Si vous voulez y monter...
Vous vous cass'rez le bout du nez. ***(bis)***

Le facteur y est monté...
Il s'est cassé le bout du nez. ***(bis)***

PATATRAS

UP
P.T.

On lui a raccommodé...
Avec du joli fil doré. ***(bis)***

Le beau fil(e) s'est cassé...
Le bout du nez s'est envolé. ***(bis)***

Un avion à réaction...
A rattrapé le bout du nez. ***(bis)***

Mon histoire est terminée...
Messieurs, mesdames, applaudissez ! ***(bis)***

Sur le pont d'Avignon

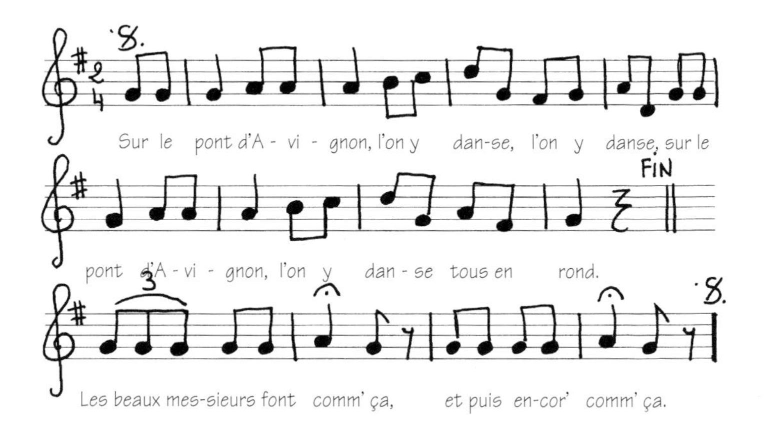

Sur le pont d'A - vi - gnon, l'on y dan-se, l'on y danse, sur le
FIN
pont d'A - vi - gnon, l'on y dan - se tous en rond.
Les beaux mes-sieurs font comm' ça, et puis en-cor' comm' ça.

Refrain

Sur le pont d'Avignon,
L'on y danse, l'on y danse.
Sur le pont d'Avignon,
L'on y danse tous en rond.

Les bell's madam's font comm'ça,
Et puis encor' comm'ça. ***(refrain)***

Les militaires font comm'ça,
Et puis encor' comm'ça. ***(refrain)***

Et moi de m'en courir

En passant auprès d'un p'tit bois,où le cou - cou chan-tait, où le cou-
cou chantait.Dans son jo-li chant il di - sait : Coucou, coucou, coucou, coucou. Et moi je cro-yais qu'il di - sait :Tords-lui le cou ! Tords-lui le
cou ! Et moi de m'en cour' cour'! Et moi de m'en cou - rir !

En passant auprès d'un étang
Où les canards chantaient. ***(bis)***
Dans leur joli chant ils disaient :
« Cancan, cancan, cancan, cancan. »
Et moi je croyais qu'ils disaient :
« Jett'-le dedans ! Jett'-le dedans ! »
Et moi de m'en cour' cour'
Et moi de m'en courir !

En passant auprès d'un moulin
Où la grand'roue tournait. ***(bis)***
Dans son joli chant elle disait :
« Tic-tac, tic-tac, tic-tac, tic-tac ! »
Et moi je croyais qu'elle disait :
« Faut que j'l'attrap' ! Faut que j'l'attrap' ! »
Et moi de m'en cour' cour'
Et moi de m'en courir !

J'ai du bon tabac

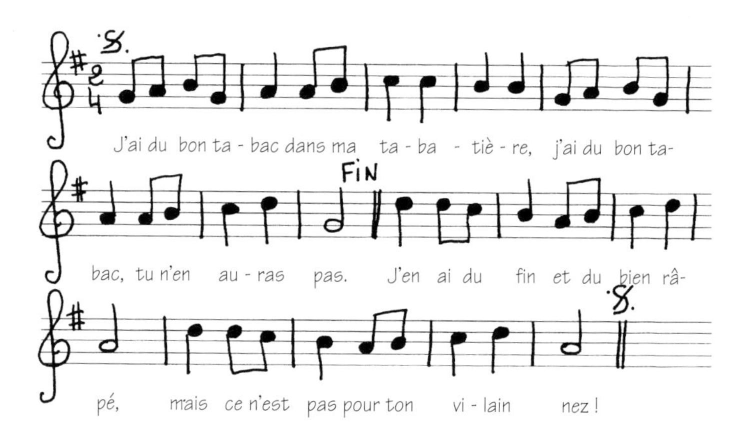
FIN
J'ai du bon ta - bac dans ma ta - ba - tiè - re, j'ai du bon tabac, tu n'en au - ras pas. J'en ai du fin et du bien râpé, mais ce n'est pas pour ton vi - lain nez !

J'ai du bon tabac
Dans ma tabatière,
J'ai du bon tabac,
Tu n'en auras pas !

J'en ai du fin et du bien râpé,
Mais ce n'est pas pour ton vilain nez !

J'ai du bon tabac
Dans ma tabatière,
J'ai du bon tabac,
Tu n'en auras pas !

Monsieur
vous
avez
un gros nez
TABAC

Mon beau sapin

Mon beau sa - pin, roi des fo - rêts, que j'aime ta ver-
du - re ! Quand par l'hi-ver bois et gué-rets sont dé-pouil-lés de
leurs at-traits, mon beau sa - pin, roi des fo - rêts, tu
gardes ta pa - ru - re.

Toi que Noël
Planta chez nous
Au saint anniversaire !
Joli sapin
Comme ils sont doux
Et tes bonbons et tes joujoux !

Toi que Noël
Planta chez nous
Tout brillant de lumière.

Mon beau sapin
Tes verts sommets
Et leur fidèle ombrage,
De la foi qui ne ment jamais
De la constance et de la paix,
Mon beau sapin
Tes verts sommets
M'offrent la douce image.

Prom'nons-nous dans les bois

refrain
Prom'nons-nous dans les bois pendant que le loup n'y est pas. Si le
loup y é - tait, il nous man - ge - rait. Mais comm' il n'y est pas, il nous
man-g'ra pas. Loup y es - tu ? Que fais - tu ?

Parlé

Je mets mes lunettes ! ***(refrain)***

Puis

Je mets ma chemise ! ***(refrain)***

On recommence le refrain, mais la réponse change chaque fois :

Je mets ma culotte, ma veste,
mes chaussettes, mes bottes, etc.

Puis

Je prends mon fusil ! ***(refrain)***

Enfin

J'arrive !

Mon âne

Mon â - ne, mon â - ne a bien mal à sa tête ; ma-
da - me lui fait fai - re un bon-net pour sa fête. Un bon-net pour sa
fête. Et des souliers li - las, la la et des sou-liers li - las.

Mon âne, mon âne a bien mal aux oreilles ;

Madame lui fait faire une paire de boucles d'oreilles.

Une paire de boucles d'oreilles,

Un bonnet pour sa fête,

Et des souliers lilas, la la

Et des souliers lilas.

Mon âne, mon âne a bien mal à ses yeux ;
Madame lui fait faire une paire de lunettes
bleues...

Mon âne, mon âne a bien mal à son nez ;
Madame lui fait faire un joli cache-nez...

Mon âne, mon âne a mal à l'estomac ;
Madame lui fait faire une tasse de chocolat...

GRRRR
TRALALALALALALÈRE

J'aime la galette

J'ai - me la ga - let - te, sa - vez-vous com-ment? Quand elle est bien
faite a - vec du beur' de - dans. Tra la la la la la la la
lè - re Tra la la la la la la la la. Tra la
la la la la la la lè - re Tra la la la la la la la la.

J'aime la galette,

Savez-vous comment ?

Quand elle est bien faite

Avec du beurre dedans.

Tra la la la la la la la lère

Tra la la la la la la la la. ***(bis)***

J'ai vu le loup

J'ai vu le loup, le re - nard et la be - let - te, j'ai vu le
FIN
loup, le re - nard dan - ser. J'les ai vus ta per du
pied. J'ai vu le loup, le re - nard et la belet - te, j'les ai
vus ta per du pied. J'ai vu le loup, le re nard dan - ser.

J'ai vu le loup, le renard et la belette,
J'ai vu le loup, le renard danser.
J'les ai vus taper du pied.
J'ai vu le loup, le renard et la belette,
J'les ai vus taper du pied.
J'ai vu le loup, le renard danser.

Une poule sur un mur

U - ne pou - le sur un mur qui pi - co - te du pain
dur, pi - co - ti, pi - co - ta, lèv' la queue et puis s'en va.

Une poule sur un mur
Qui picote du pain dur,
Picoti, picota,
Lèv' la queue et puis s'en va.

Compère Guilleri

Il était un p'tit hom-me qui s'app'lait Guille - ri, ca-ra - bi. Il
s'en fut à la chas-se, à la chasse aux per - drix, ca-ra - bi titi ca - ra - bi to - to ca - ra - bo Com - pè - re Guil - le - ri,
te fe - ras - tu, te fe ras - tu, te fe ras - tu mou - ri ?

Refrain

Carabi,

Titi Carabi

Toto Carabo

Compèr' Guilleri

Te feras-tu ***(ter)*** mouri ?

CRAC
pour Guilleri

Il monta sur un arbre
Pour voir ses chiens couri,
Carabi,
La branch' vint à se rompre
Et Guilleri tombi. ***(refrain)***

Il se cassa la jambe
Et le bras se démit,
Carabi,
Les dam's de l'hôpital
Sont arrivées sans bruit. ***(refrain)***

On lui banda la jambe
Et le bras lui remit,
Carabi,
Pour remercier ces dames
Guill'ri les embrassit. ***(refrain)***

Pomme, pêche, poire, abricot

Pomme, pêche, poire, a - bri - cot, y'en a u - ne, y'en a
u - ne, pomme, pêche, poire, a - bri - cot, y'en a une de trop !

Pomme, pêche, poire, abricot,
Y'en a une, y'en a une,
Pomme, pêche, poire, abricot,
Y'en a une de trop !

9
8
7
6
5
4
3
2
1

Mam'zelle Angèle

Je sonn' au nu-mé-ro un Et d'mand' Mam'zelle An-gè - le Elle
La con-cierge me ré - pond : «Mais quel mé-tier fait - el - le ?»
fait des pantalons, des jup' et des ju-pons et des gi-lets d' fla-nel - le. Elle
fait des pantalons, des jup' et des jupons et des gilets d'co-ton. Ah! Ah! Ah !
« Je ne connais pas ce genr' de métier là. Al - lez voir à cô - té ! »

Je sonne au numéro deux
Et d'mand' Mam'zelle Angèle
La concierge… etc.

Je sonne au numéro trois
Et d'mand' Mam'zelle Angèle
La concierge… etc.

Dame Tartine

Il é - tait une da - me Tar - ti - ne dans un
beau pa - lais de beurre frais. La mu - raille é - tait de pra-
li - ne, le par - quet é - tait de cro - quet, la chambre à cou-
cher de crè - me de lait, le lit de biscuit, les rideaux d'a - nis.

Elle épousa Monsieur Gimblette
Coiffé d'un beau fromage blanc.
Son chapeau était de galette
Son habit était de vol-au-vent,
Culotte en nougat,
Gilet de chocolat,
Bas de caramel,
Et souliers de miel.

Au clair de la lune

Au clair de la lu - ne, mon a - mi Pier - rot. Prête - moi ta
plu - me, pour é - crire un mot. Ma chandelle est mor-te,
je n'ai plus de feu. Ou-vre-moi ta por - te pour l'amour de Dieu.

Au clair de la lune
Pierrot répondit :
Je n'ai pas de plume,
Je suis dans mon lit.

Va chez la voisine,
Je crois qu'elle y est,
Car, dans sa cuisine,
On bat le briquet.

Ah ! mon beau château

Ah ! mon beau châ - teau, ma tant' ti - re li - re li - re, ah ! mon
beau châ - teau, ma tant' ti - re li - re lo. Le nôtr' est plus
beau, ma tant' ti - re li - re li - re, le nôtr' est plus
beau, ma tant' ti - re li - re lo.

Nous le détruirons,
Ma tant' tire lire lire,
Nous le détruirons,
Ma tant' tire lirelo.

Comment ferez-vous ?...

Nous prendrons vos filles...

Laquell' prendrez-vous ?...

Celle que voici...

Que lui donn'rez-vous ?...

De jolis bijoux...

Nous n'en voulons pas...

Frère Jacques

Frè - re Jac-ques, Frè - re Jac-ques, dormez-vous ? Dormez-vous ?
Sonnez les ma-ti-nes, sonnez les ma-ti-nes, Din, ding, dong. Din, ding, dong.

Frère Jacques, Frère Jacques,
Dormez-vous ? Dormez-vous ?
Sonnez les matines, sonnez les matines,
Din, ding, dong. Din, ding, dong.

DING
DING
DONG
Z
Z
Z
Z
Z
Z

Passe, passera

Pass' pass' pas-se - ra, la der - niè-re, la der - niè - re.
Pass' pass' pas-se - ra, la der - niè - re res-te - ra. Qu'est-c'qu'elle
a donc fait la p'tite hi - ron - delle ? Ell' nous a vo-
lé trois p'tits grains de blé. Nous l'at - tra - pe - rons la p'tite
hi - ron - delle, nous lui don - ne - rons trois p'tits coups d'bâ-ton.

Passe, passe, passera
La dernière, la dernière,
Passe, passe, passera,
La dernière restera.

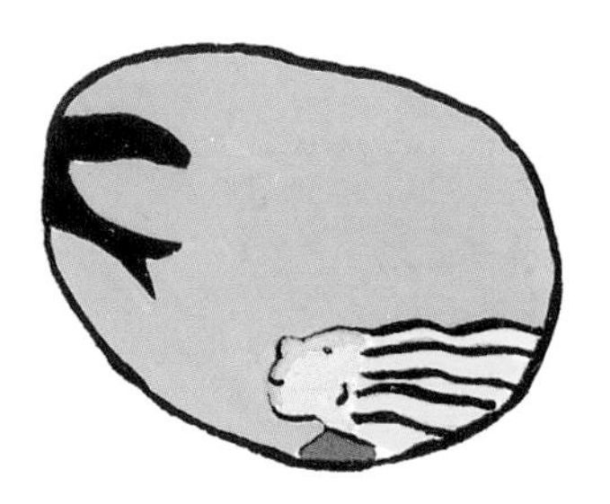

Qu'est-ce qu'elle a donc fait
La p'tite hirondelle ?
Elle nous a volé
Trois p'tits grains de blé.
Nous l'attraperons,
La p'tite hirondelle,
Nous lui donnerons
Trois p'tits coups de bâton.

Pic nic douille

Pic nic douill' c'est toi qui se - ras l'an- douill', mais comm' le
roi ne le veut pas, tu n'le se - ras pas.

Pic nic douille
C'est toi qui seras l'andouille,
Mais comm' le roi ne le veut pas,
Tu n'le seras pas.

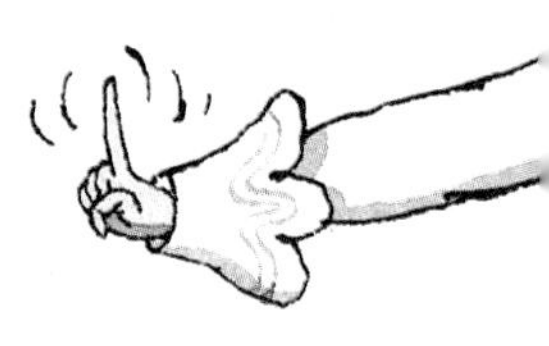

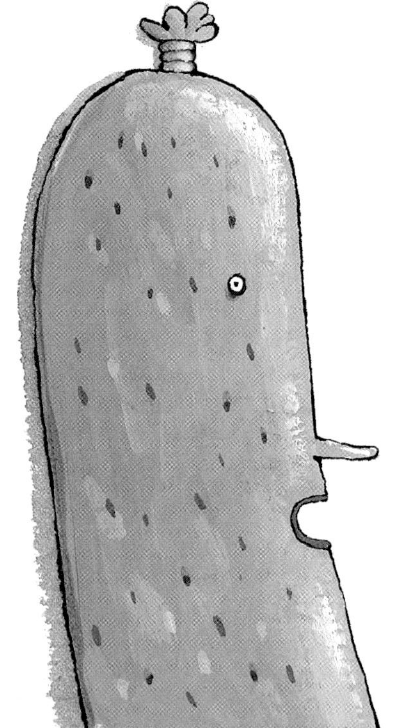

non
nenni
non
nouille

Cadet Rousselle

Ca-det Rous-selle a trois mai - sons, Ca-det Rous-selle a trois mai-
sons Qui n'ont ni pou-tres ni che - vrons, qui n'ont ni pou-tres ni che-
vrons. C'est pour lo - ger les hi - ron - del - les, que di-rez- vous d'Ca-det Rous-
sel - le. Ah ! ah ! ah ! Oui vrai-ment, Cadet Rous-selle est bon en - fant.

Cadet Rousselle a trois gros chiens ***(bis)***
L'un court au lièvr', l'autre au lapin ***(bis)***
L'troisièm' s'enfuit quand on l'appelle,
Comm' le chien de Jean de Nivelle.
Ah ! ah ! ah ! Oui vraiment,
Cadet Rousselle est bon enfant.

Cadet Rousselle a trois garçons ***(bis)***
L'un est voleur, l'autre est fripon ***(bis)***
Le troisième est un peu ficelle
Il ressemble à Cadet Rousselle.
Ah ! ah ! ah ! Oui vraiment,
Cadet Rousselle est bon enfant.

DÉMEN
FOIE

Il était une fois

Il é - tait une fois une marchand' de foie qui ven-dait du
foie dans la vill' de Foix. Elle se dit : Ma foi c'est la der-nière
fois que je vends du foie dans la vill' de Foix.

Il était une fois
Une marchande de foie
Qui vendait du foie
Dans la ville de Foix.

Elle se dit : Ma foi
C'est la dernière fois
Que je vends du foie
Dans la ville de Foix.

V'là l'bon vent

V'là l'bon vent, v'là l'jo - li vent ! V'là l'bon vent, ma -
mie m'appel - le. V'là l'bon vent, v'là l'jo-li vent ! V'là l'bon vent, ma -
FIN
mie m'attend. Der-rière chez nous y a un é - tang. Der-rière chez nous y a
un é - tang. Il n'est pas larg' comm' il est grand.

Refrain

V'là l'bon vent, v'là le joli vent !
V'là l'bon vent, ma mie m'appelle.
V'là l'bon vent, v'là le joli vent !
V'là l'bon vent, ma mie m'attend.

Trois beaux canards s'en vont nageant ***(bis)***
Le fils du roi s'en va chassant. ***(refrain)***

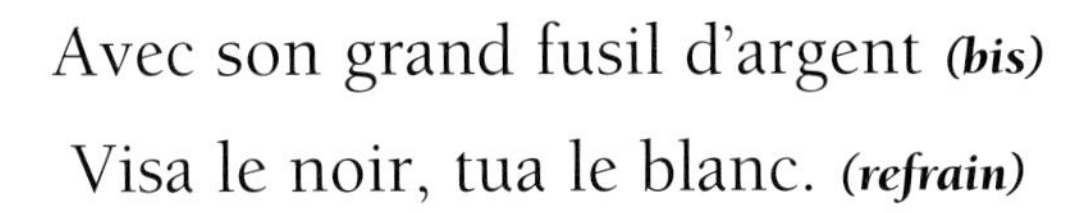

Avec son grand fusil d'argent ***(bis)***
Visa le noir, tua le blanc. ***(refrain)***

Oh ! fils du roi, tu es méchant. ***(bis)***
Tu as tué mon canard blanc. ***(refrain)***

Par-dessous l'aile il perd son sang ***(bis)***
Et par les yeux des diamants. ***(refrain)***

Et par le bec, l'or et l'argent. ***(bis)***
Que ferons-nous de tant d'argent ? ***(refrain)***

Nous mettrons les fill's au couvent ***(bis)***
Et les garçons au régiment. ***(refrain)***

Une souris verte

U - ne sou - ris ver - te qui cou-rait dans l'her-be
je l'at - tra - pe par la queue, je la montr' à ces messieurs.
Ces messieurs me di - sent : Trem-pez - la dans l'hui - le,
trempez-la dans l'eau, ça fe - ra un es - car - got tout chaud.

Une souris verte

Qui courait dans l'herbe

Je l'attrape par la queue,

Je la montr' à ces messieurs.

Ces messieurs me disent :

Trempez-la dans l'huile,

Trempez-la dans l'eau,

Ça fera un escargot tout chaud.

C'est la mère Michel

C'est la mèr' Mi- chel qui a per - du son chat qui crie par la fenêtre à qui le lui ren - dra. C'est l'compèr' Lustu - cru qui
lui a ré - pon - du : Al - lez la mèr' Mi-chel, vot'chat n'est pas perdu. Sur l'air du tra - la - la - la, sur l'air du tra - la - la
la, sur l'air du tradé - ri - dé - ra et tra-la la.

Refrain

Sur l'air du tralalala,

Sur l'air du tralalala,

Sur l'air du tradéridéra et tralala.

C'est la mèr' Michel qui lui a demandé :
Mon chat n'est pas perdu, vous l'avez donc trouvé ?
Et l'compèr' Lustucru qui lui a répondu :
Donnez un' récompens' il vous sera rendu.

(refrain)

Et la mèr' Michel lui dit : C'est décidé,
Si vous m'rendez mon chat, vous aurez un baiser,
Et l'compèr' Lustucru qui n'en a pas voulu,
Lui dit : Pour un lapin vot' chat sera vendu !

(refrain)

M

Bonjour, ma cousine

Bonjour, ma cou - si - ne, bonjour, mon cou - sin germain.
On m'a dit que vous m'aimiez, est-ce bien la vé - ri - té ?
Je n'm'en soucie guè - re, je n'm'en soucie guè - re. Passez par i-
ci et moi par là, au r'voir ma cousine, et puis voi - là !

– Bonjour, ma cousine.
– Bonjour, mon cousin germain ;
On m'a dit que vous m'aimiez,
Est-ce bien la vérité ?
– Je n'm'en soucie guère. ***(bis)***
Passez par ici et moi par là,
Au r'voir, ma cousine, et puis voilà !

Ne pleure pas, Jeannette

Ne pleu - re pas, Jea - net – te Tra la la la la la
la la la la la la la Ne pleu - re pas, Jea - net –
te, nous te ma - ri - e - rons nous te ma - ri - e - rons.

Avec le fils d'un prince
Tralalalalalalalalalalalala
Avec le fils d'un prince
Ou celui d'un baron. ***(bis)***

Je ne veux pas d'un prince
Encor' moins d'un baron. ***(bis)***

Je veux mon ami Pierre
Celui qu'est en prison. ***(bis)***

Tu n'auras pas ton Pierre,
Nous le pendouillerons. ***(bis)***

Si vous pendouillez Pierre,
Pendouillez-moi z'avec. ***(bis)***

Et l'on pendouilla Pierre
Avec sa Jeanneton. ***(bis)***

Sur la plus haute branche
Le rossignol chantait. ***(bis)***

Il chantait les louanges
De Pierre et de Jeannette. ***(bis)***

AU FEU
AU FEU
AU FEU

Au feu, les pompiers

Au feu, les pompiers, v'là la mai-son qui brû - le ! Au feu,
les pompiers, v'là la maison brû - lée ! C'est pas moi qui l'ai brû-lée,
c'est la can-ti - niè - re, c'est pas moi qui l'ai brûlée, c'est le canti - nier.

Au feu, les pompiers
V'là la maison qui brûle !
Au feu, les pompiers,
V'là la maison brûlée !

C'est pas moi qui l'ai brûlée,
C'est la cantinière,
C'est pas moi qui l'ai brûlée,
C'est le cantinier.

Au feu, les pompiers,
V'là la maison qui brûle !

Maman, les petits bateaux

Ma man, les p'tits bateaux qui vont sur l'eau, ont-ils des jam-bes ? Mais
FIN
oui mon gros bê - ta s'ils n'en a vaient pas, ils ne march'raient pas. Allant droit de - vant eux, ils font le tour du mon - de, mais
comme la terre est ron - de, ils re - viennent chez eux. Ma

Maman, les petits bateaux
Qui vont sur l'eau,
Ont-ils des jambes ?
Mais oui mon gros bêta
S'ils n'en avaient pas,
Ils ne marcheraient pas.

Allant droit devant eux,
Ils font le tour du monde,
Mais comme la terre est ronde,
Ils reviennent chez eux.

L'emp'reur, sa femme et le p'tit prince

Lun - di ma - tin, l'em - p'reur, sa femm' et le p'tit
prin - ce sont ve - nus chez moi pour me ser - rer la
pin - ce. Comm' j'é - tais par - ti, le p'tit prince a dit :
puisque c'est ain - si, nous re - vien - drons mar - di.

Mardi matin,
L'emp'reur, sa femme et le p'tit prince
Sont venus chez moi pour me serrer la pince.
Comme j'étais parti, le p'tit prince a dit :
Puisque c'est ainsi nous r'viendrons mercredi.

et ainsi de suite jusqu'à :

Dimanche matin,
L'emp'reur, sa femme et le p'tit prince
Sont venus chez moi pour me serrer la pince.
Comme j'étais parti, le p'tit prince a dit :
Puisque c'est comme ça,
Nous ne reviendrons pas.

Dans la forêt lointaine

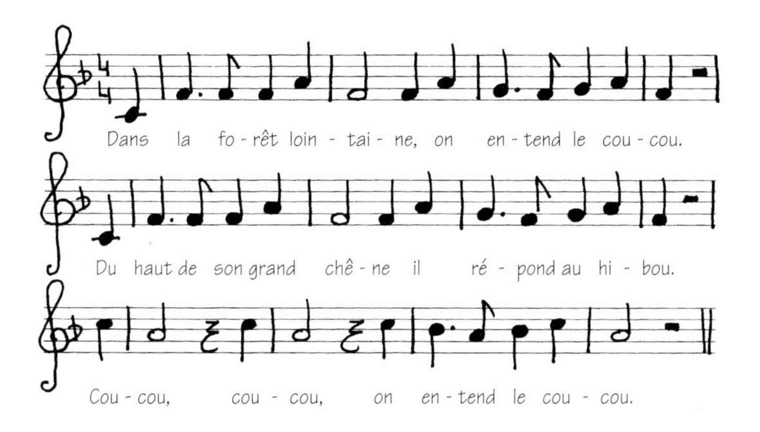
Dans la fo - rêt loin - tai - ne, on en - tend le cou - cou.
Du haut de son grand chê - ne il ré - pond au hi - bou.
Cou - cou, cou - cou, on en - tend le cou - cou.

Dans la forêt lointaine,
On entend le coucou.
Du haut de son grand chêne
Il répond au hibou :
Coucou, coucou,
On entend le coucou.

Arlequin dans sa boutique

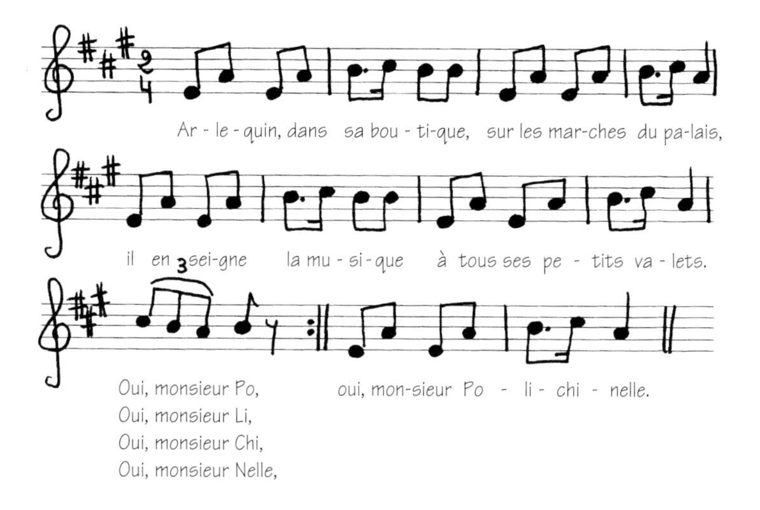
Ar - le - quin, dans sa bou - ti-que, sur les mar-ches du pa-lais,
il en sei-gne la mu - si - que à tous ses pe - tits va - lets.
Oui, monsieur Po, oui, mon-sieur Po - li - chi - nelle.
Oui, monsieur Li,
Oui, monsieur Chi,
Oui, monsieur Nelle,

Il vend des bouts de réglisse
Meilleurs que votre bâton,
Des bonshommes en pain d'épice
Moins bavards que vous, dit-on.

Il a des pralines grosses
Bien plus grosses que le poing,
Plus grosses que les deux bosses
Qui sont dans votre pourpoint.

Il a de belles oranges
Pour les bons petits enfants,
Et de si beaux portraits d'anges
Qu'on dirait qu'ils sont vivants.

ARLEQUIN

Vive la rose et le lilas

Mon a - mi me dé - lais - se, ô gai, vi- ve la ro - se. Je
ne sais pas pour - quoi, vi - ve la rose et le li - las. Je
ne sais pas pour - quoi, vi - ve la rose et le li - las.

Il va-t-en voir une autre
Ô gai, vive la rose **(bis)**
Qui est plus rich' que moi,
Vive la rose et le lilas. **(bis)**

On dit qu'elle est très belle,... **(bis)**
Je ne le nierai pas... **(bis)**

On dit qu'elle est malade... **(bis)**
Peut-être elle en mourra... **(bis)**

Mardi reviendra me voir... **(bis)**
Et je n'en voudrai pas... **(bis)**

Le roi Dagobert

Le bon roi Da - go - bert a mis sa cu-lotte à l'en-
vers. Le grand saint É - loi lui dit ô mon roi vo-tre ma-jes- té est mal
cu - lot-tée. C'est vrai, lui dit le roi, je vais la re-mettr' à l'endroit.

Le bon roi Dagobert

Fut mettre son bel habit vert.

Le grand saint Éloi

Lui dit : « Ô mon roi,

Votre habit paré

Au coude est percé.

– C'est vrai, lui dit le roi,

Le tien est bon,

Prête-le-moi. »

Le bon roi Dagobert
Chassait dans les plaines d'Anvers.
Le grand saint Éloi
Lui dit : « Ô mon roi,
Votre Majesté
Est bien essoufflée.
– C'est vrai, lui dit le roi,
Un lapin courait après moi. »

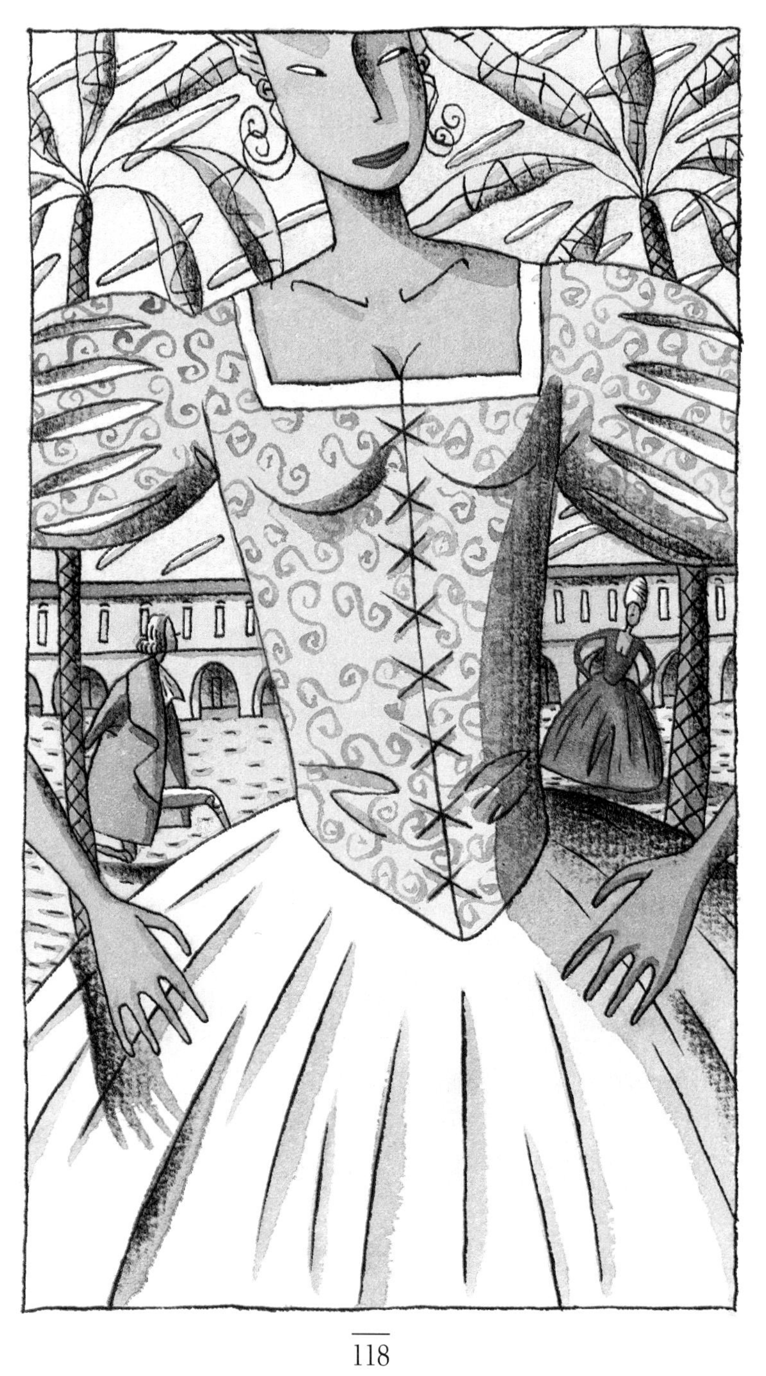

Le Palais-Royal

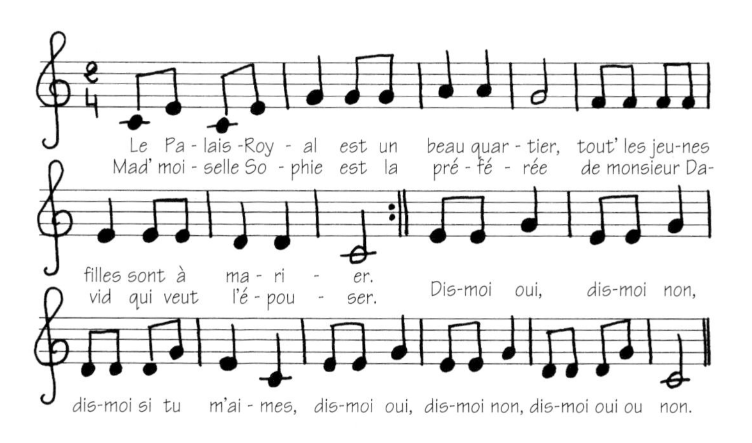
Le Pa - lais -Roy - al est un beau quar - tier, tout' les jeu-nes
Mad' moi - selle So - phie est la pré - fé - rée de monsieur Da-
filles sont à ma - ri - er.
vid qui veut l'é - pou - ser.
Dis-moi oui, dis-moi non,
dis-moi si tu m'ai - mes, dis-moi oui, dis-moi non, dis-moi oui ou non.

Le Palais-Royal est un beau quartier,
Toutes les jeunes filles sont à marier.
Mad'moiselle Sophie est la préférée
De monsieur David qui veut l'épouser.

Dis-moi oui, dis-moi non,
Dis-moi si tu m'aimes,
Dis-moi oui, dis-moi non,
Dis-moi oui ou non.

Alouette, gentille alouette

FIN
A - lou - et - te, gentille a - lou - et - te, a - lou - et - te,
je te plu-me - rai. Je te plume - rai la tête, je te plumerai la tête. Et la tête, et la tête, a-lou-ette, a - lou-ette, ah !

Refrain

Alouette, gentille alouette,
Alouette, je te plumerai.

tête
bec
cou
aile
queue
patte

Je te plumerai la tête ***(bis)***

Et la tête ***(bis)***

Alouette ***(bis)***

Ah ! ***(refrain)***

Je te plumerai le bec ***(bis)***

Et le bec ***(bis)***

Et la tête ***(bis)***...

Je te plumerai les yeux ***(bis)***

Je te plumerai le cou ***(bis)***

Je te plumerai les ailes ***(bis)***

Je te plumerai les pattes ***(bis)***

Je te plumerai la queue ***(bis)***

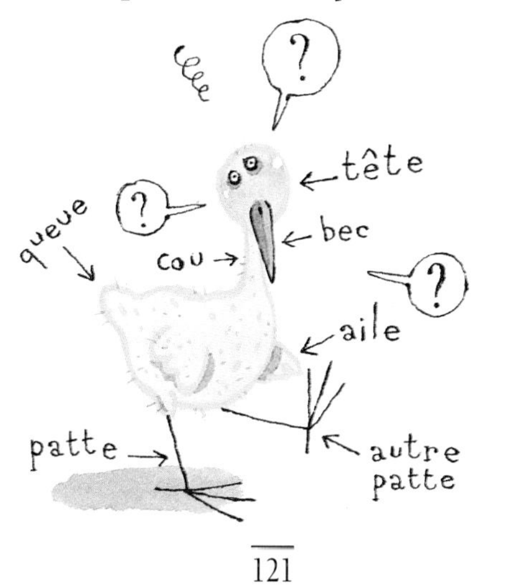
?
tête
?
queue
bec
cou
?
aile
patte
autre patte

Bon voyage, Monsieur Dumollet

FIN
Bon voy - age, Mon -sieur Du-mol - let, À Saint Ma - lo dé - bar - quez sans nau-
fra - ge, Bon voy - age, Mon- sieur Du-mol - let, Et re - ve - nez si le pa-ys vous
plaît. Mais si vous al - lez voir la ca - pi - ta - le, mé-fi-ez - vous des voleurs,des a-
mis, des billets doux, des coups, de la caba-le, des pis-to-lets et des tor-ti- co - lis.

Refrain

Bon voyage, Monsieur Dumollet,

À Saint-Malo débarquez sans naufrage,

Bon voyage, Monsieur Dumollet,

Et revenez si le pays vous plaît.

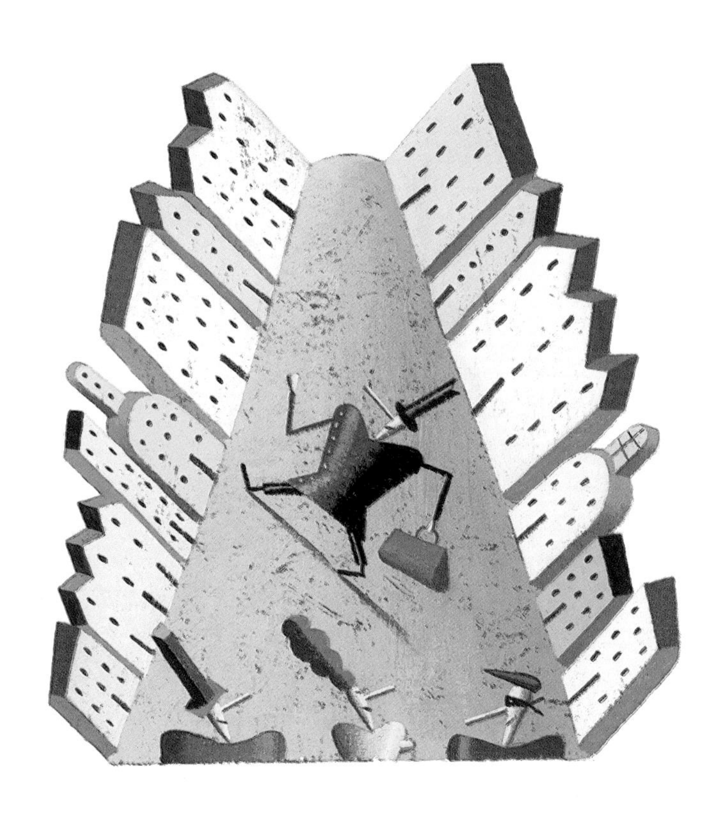

Mais si vous allez voir la capitale,
Méfiez-vous des voleurs, des amis,
Des billets doux, des coups, de la cabale,
Des pistolets et des torticolis.

Un, deux, trois

Un, deux, trois, al-lons dans les bois, quatr', cinq, six, cueillir
des ce - rises, sept, huit, neuf, dans mon pa - nier neuf,
dix, onz', douze, elles se - ront tout's rouges.

Un, deux, trois,
Allons dans les bois,
Quatre, cinq, six,
Cueillir des cerises,
Sept, huit, neuf,
Dans mon panier neuf,
Dix, onze, douze,
Elles seront toutes rouges.

La volette

FIN
C'est un p'tit oi - seau qui prit sa vo - lée,
qui prit sa, à la vo - let - te, qui prit sa, à la vo-
let - te, qui prit sa vo - lée.

Il prit sa volée
Sur un oranger. **(bis)**
Sur un o, à la volette, **(bis)**
Sur un oranger.

La branche était sèche,
L'oiseau est tombé. **(bis)**
L'oiseau est, à la volette, **(bis)**
L'oiseau est tombé.

Mon petit oiseau,
Où t'es-tu blessé ? *(bis)*
Où t'es-tu, à la volette, *(bis)*
Où t'es-tu blessé ?

Je m'suis cassé l'aile
Et tordu le pied. *(bis)*
Et tordu, à la volette, *(bis)*
Et tordu le pied.

Mon petit oiseau,
Je vais te soigner. *(bis)*
Je vais te, à la volette, *(bis)*
Je vais te soigner.

Il pleut, il mouille

Il pleut, il mouil- le, c'est la fête à la gre-nouil - le. La gre-
nouill' a fait son nid dessous un grand pa - ra - pluie.

Il pleut, il mouille,
C'est la fête à la grenouille,
La grenouille a fait son nid
Dessous un grand parapluie.

La barbichette

Je te tiens, tu me tiens, par la bar-bi - chet - te. Le pre-
mier de nous deux qui ri - ra au - ra une ta - pette.

Je te tiens,
Tu me tiens,
Par la barbichette.
Le premier
De nous deux
Qui rira
Aura une tapette.

Il court, il court, le furet

Il court, il court, le fu - ret, le fu - ret du bois Mes-
FIN
dames, il court, il court, le fu - ret, le fu - ret du bois jo - li.
Il est passé par i - ci, il re - passe - ra par là.

Il court, il court, le furet,

Le furet du bois Mesdames,

Il court, il court, le furet,

Le furet du bois joli.

Il est passé par ici,

Il repassera par là.

Il court, il court, le furet,

Le furet du bois Mesdames,

Il court, il court le furet,

Le furet du bois joli.

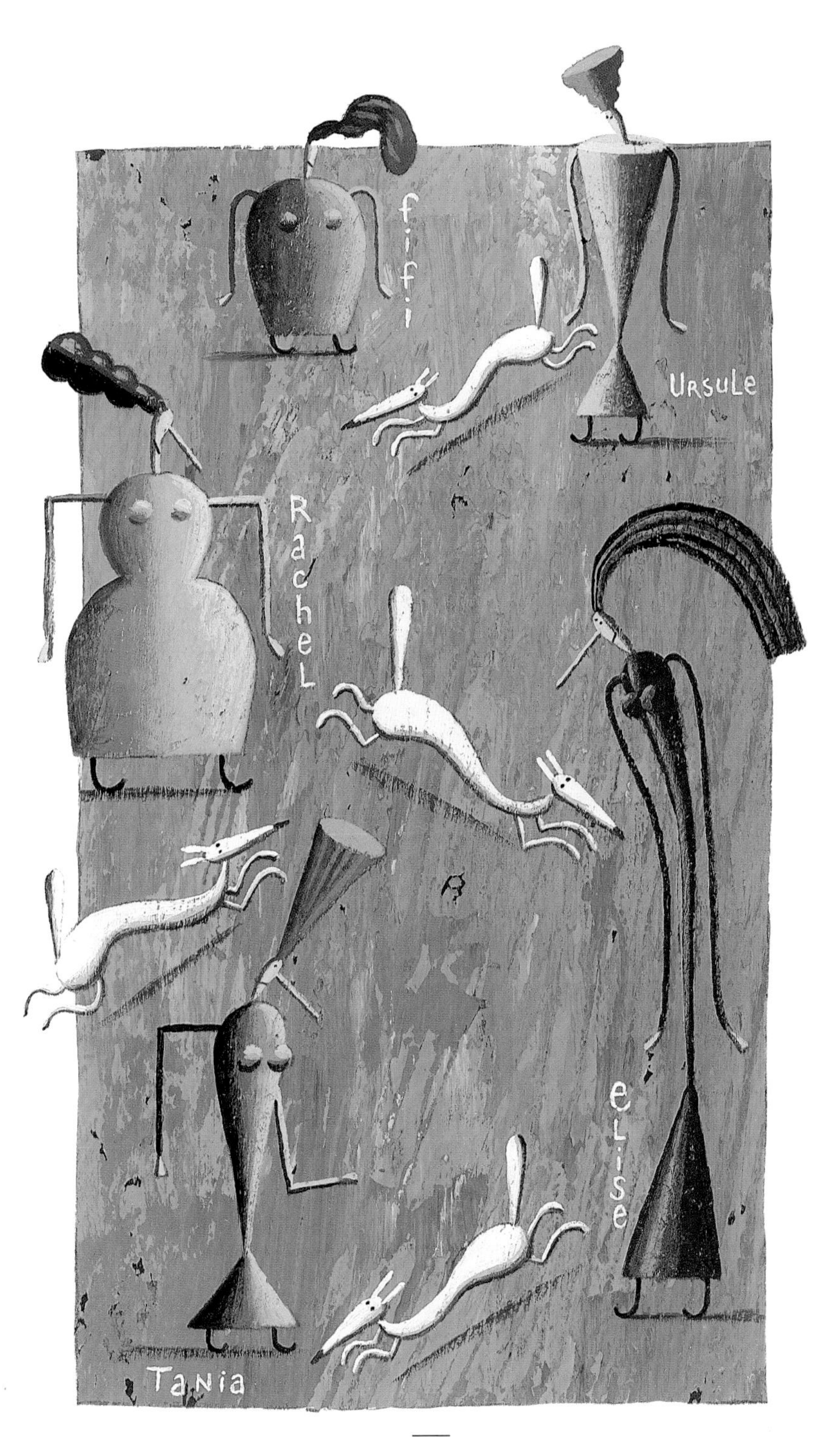
fifi
URSULE
Rachel
elise
TaNia

Ah ! dis-moi donc, bergère

Ah ! Dis-moi donc ber - gè - re, à qui sont ces mou - tons ? Eh !
par ma foi, mon-sieur, à ceux qui les gar - dons. Et tra - la
la - dé - ri - dé - ra et tra - dé - ron - la.

Ah ! dis-moi donc, bergère,
Où va ce chemin-là ?
Eh ! par ma foi, monsieur,
Il ne bouge pas de là.
Et tralaladéridéra et tradéronla.

Ah ! dis-moi donc, bergère,
L'étang est-il profond ?
Eh ! par ma foi, monsieur,
Il descend jusqu'au fond !
Et tralaladéridéra et tradéronla.

Ah ! dis-moi donc, bergère,
N'as-tu pas peur du loup ?
Eh ! par ma foi, monsieur,
Pas plus du loup que d'vous !
Et tralaladéridéra et tradéronla.

Do, do, l'enfant do

Do, do, l'enfant do, l'enfant dor-mi - ra bien vi - te;
Do, do, l'enfant do, l'enfant dor-mi - ra bien - tôt.

Do, do, l'enfant do,
L'enfant dormira bien vite ;
Do, do, l'enfant do,
L'enfant dormira bientôt.

Table des Chansons

Chansons des pages 12, 21, 33, 48,
78, 100, 106 et 137
illustrées par Sylvie Albert

Chansons des pages 57, 71, 82,
94, 129 et 134
illustrées par Christel Desmoinaux

Chansons des pages 9, 66, 85, 99, 104 et 113
illustrées par Jochen Gerner

Chansons des pages 15, 25, 28, 43, 55,
63, 76, 114, 123 et 133
illustrées par Martin Jarrie

Chanson de la page 40
illustrée par Muriel Kerba

Chansons des pages 6, 18, 51, 68, 91 et 103
illustrées par Jean-François Martin

Chansons des pages 16, 37, 46, 52, 59, 72, 88 et 120
illustrées par Martin Matje

Chansons des pages 10, 27, 30, 35, 38, 64, 92, 97,
109, 117 et 118
illustrées par Christophe Merlin

Chansons des pages 23, 45, 81, 87, 124 et 130
illustrées par Andrée Prigent

Chansons des pages 60, 74, 110 et 126
illustrées par Danièle Schulthess